Pourquoi est-ce (si) difficile d'écrire ?

« Alors que les hommes naissent et meurent depuis un million d'années, ils n'écrivent que depuis six mille ans. »

Étiemble

« Il y a des choses que je ne peux pas dire, même à mes meilleures copines. Alors, je les écris dans mon carnet secret. » Farida, 9 ans

« C'est difficile d'écrire, il faut s'appliquer. Mais on est content, après, de pouvoir faire une lettre et qu'on nous réponde. »

Nathalie, 7 ans

« à l'école, on m'a toujours corrigé, on ne m'a jamais répondu. »

Thomas, 13 ans

« J'ai besoin d'écrire
quand je veux bien expliquer
mon exposé à la classe,
parce que je ne peux pas tout
faire tenir dans ma tête. »

William, 10 ans

« J'écris parce que
personne ne m'écoute. »

Michèle Reverbel, écrivain public

« Il y a des mots rigolos
à prononcer comme polochon
ou ratatouille. Parfois,
je m'amuse à en mettre dans
mes rédactions. »

Alicia, 8 ans

Merci à Lou, Coline, Sylvain, Luc et Marie
qui m'ont aidé à trouver le temps, le goût et
le plaisir d'écrire ce texte.

Ph. M.

[La bibliographie complète de Philippe Meirieu
est disponible sur www.meirieu.com]

Direction de collection : Marie Lallouet
Direction artistique et photo de couverture : Aline Lefrère

Pourquoi est-ce (si) difficile d'écrire ?

Philippe Meirieu

Les petits guides J'aime lire
Bayard Jeunesse

Voilà déjà trois semaines que j'ai acheté
un nouveau cahier. Il est posé sur mon bureau.
Depuis quelques jours, j'ai glissé sous
la couverture quelques bouts de papier :
une page de carnet griffonnée en vitesse après
la visite inopinée de la petite Sarah, un ticket de métro
avec un mot que je ne veux surtout pas oublier,
un morceau de journal arraché dans une salle d'attente.
Des bouts d'idées encore sans queue ni tête.
Il va bien falloir que je m'y mette.
Mais, chaque fois, c'est pareil : et si je n'y arrivais pas ?
Il faut une bonne dose d'inconscience pour livrer
ainsi ce qui nous habite à la lecture d'un autre.
Sans savoir s'il ne va pas froncer les sourcils,
lever les yeux au ciel ou jeter le livre.
Sans pouvoir courir derrière lui avec une explication
de dernière minute : « Je vais t'expliquer...
Ce n'est pas vraiment ça que j'ai voulu dire... »
Ce qui est écrit est écrit. Il faut s'y faire.
Et sauter le pas quand même.
J'ouvre le cahier. J'aplatis doucement la première
page blanche avec le plat de la main.
Je crois bien que ceux qui n'ont pas peur,
à ce moment-là, sont des imposteurs.

« L'angoisse de la page blanche, la peur de faire une simple lettre, les réticences, affichées ou non, à remettre un travail écrit, les réécritures sans fin d'un même texte, sont autant de symptômes d'une difficulté à accepter que des propos soient irrémédiablement inscrits dans l'histoire d'une personne. »

Jean-Louis Chiss et Jacques David, « Penser l'écrit »,
Le Français aujourd'hui, n° 93, mars 1991

Les étapes du chemin

Assia et Maxime n'aiment pas écrire. Ou, du moins, c'est l'impression qu'ils donnent. Leurs parents s'inquiètent : ils croient que l'écriture est une chose facile et que les difficultés de leurs enfants constituent un handicap pour leur scolarité, leur vie professionnelle et personnelle....

Pourtant, même ceux qui font les fortes têtes n'en mènent pas large lorsqu'ils doivent écrire leur première lettre d'amour. D'abord, bien sûr, il y a la présentation : il faut s'appliquer, mais ne pas en faire trop. Pas question de passer pour un bon élève qui recopie un texte au tableau. Mais pas question, non plus, de bâcler un texte que l'autre – on l'espère bien – va lire et relire cent fois. Et puis, il y a la question de l'orthographe : il est bien possible que le destinataire ne soit guère meilleur que l'auteur dans ce domaine. Pourtant, il vaut mieux ne pas prendre trop de risques. Le ridicule ne tue pas, mais si on peut l'éviter... Enfin, il faut trouver les mots justes : ceux qui vont faire mouche et résonner longtemps chez l'autre, ces mots qui lui permettront d'entendre ce qu'on n'a pas encore su lui dire.

Mais les mots sont parfois piégés et il faut faire attention : éviter les maladresses, ne pas utiliser une expression qui fâche, ne pas laisser trop de place au doute. Un écart de langage, une approximation, quand l'autre est en face de vous, se rattrape vite : on se reprend et on ajuste, on explique et on se justifie. Les enfants et les adolescents, d'ailleurs, adorent ces discussions à n'en plus finir où rien n'est jamais complètement stabilisé. C'est le grand plaisir de la parlotte...

Pourtant, vient un temps où la parlotte ne suffit plus : il faut fixer les choses pour bien les transmettre, les écrire pour les offrir vraiment. Non que la parole ne puisse être un cadeau : il y a des propos qui nous habitent longtemps, souvent à l'insu même de ceux qui les ont prononcés. Mais ils n'existent que par notre pouvoir de les faire exister. Ils ne résistent au temps que grâce à notre mémoire. Ils sont donc condamnés à l'usure et à l'oubli. Au mieux, ils disparaîtront avec nous.

Or il y a des choses qu'on voudrait éternelles : de ces choses si fortes qu'on ne peut accepter de les livrer à l'aléatoire. On éprouve le besoin de les inscrire quelque part : en gravant une pierre, en entaillant l'écorce d'un arbre, en noircissant une feuille de papier. Comme pour dire : « C'est là et cela va rester. Cela a eu lieu, et la trace en restera quelque part, même quand nous ne nous en souviendrons plus. » Nous laissons un signe de ce que nous sommes et de ce que nous vivons. Il témoigne pour le futur et, étrangement, donne au présent une densité nouvelle.

Car on vit plus intensément ce que l'on a écrit : parce qu'on l'a mis en mots et que, justement, on a fait cet effort d'aller au plus près, au plus juste, au plus vif. L'écriture nous révèle ce que nous ne savons pas dire : son exigence nous contraint à identifier précisément ce qui, sans elle, nous glisserait entre les doigts comme du sable.

L'écriture est infiniment précieuse... mais elle n'est pas sans danger : par l'écrit, on s'expose, on prend le risque de donner à l'autre une image imparfaite de soi. Écrire, c'est lui livrer des pièces à conviction dont on ignore s'il les utilisera à charge ou à décharge. Parce que l'écrit fixe le langage, il renvoie souvent à la peur d'être jugé. La première lettre d'amour, comme tous les écrits qui font sens dans notre histoire, est toujours un examen de passage. On espère qu'elle convaincra, mais on craint l'échec. Un échec d'autant plus cuisant que la lettre est là et témoignera à jamais d'une vaine et dérisoire tentative. Il faut évidemment l'écrire, cette lettre. Mais nul ne peut l'écrire sereinement.

Ainsi en est-il de tous nos écrits : ce sont toujours des aventures, des paris sur l'impossible. Nous en avons besoin et, en même temps, ils peuvent se retourner contre nous. Ce sont des étapes et des épreuves à la fois. Chaque écrit permet de grandir parce qu'il permet de se dépasser. Et le résultat n'est jamais joué d'avance. Du premier gribouillis à la première lettre au Père Noël, de la première narration au premier message électronique, **chaque forme d'écrit est, pour chaque enfant, un défi nouveau. Une manière de grandir. Et c'est notre tâche que de l'accompagner sur ce chemin.** •

« j'aimerais bien savoir écrire comme les grands parce que je pourrais dire mes secrets rien qu'à ceux qui voudront les lire. »

Emma, 4 ans

Chapitre 1

Son premier « grabouillon »

Sophie n'a pas encore trois ans et, déjà, elle réclame du papier et des crayons pour dessiner. À la maison, à la crèche, chez ses amies, elle a découvert qu'il existait des moyens pour laisser une trace de son passage. Pas seulement en arrachant la tapisserie ou en cassant un objet, mais en « signant » quelque part. « Signer », c'est laisser un signe. C'est montrer qu'on était là. C'est dire : « Moi aussi, j'existe. »

Bien sûr, quand on n'a pas d'autre moyen, on signe en détruisant. Les adultes n'aiment pas bien ça.

Ils réagissent même durement : « Ah, non, je ne veux pas de ça ! » Ils ont raison, évidemment. On ne peut pas montrer que l'on existe en brisant ce qui appartient à d'autres. Sinon, les hommes n'existeraient qu'en se faisant la guerre.

Au début, Sophie, comme tous les enfants, se mettait en colère quand on refusait de céder à ses caprices. Il lui arrivait même de tout jeter et de taper des pieds par terre en criant. Dans ces cas-là, ses parents l'accompagnaient dans un coin bien à elle où elle se recroquevillait comme un petit chat... Histoire de ne pas perdre la face, elle reniflait et boudait un moment. Et puis, un jour, elle a découvert là un vieux stylo et s'est mise à gribouiller rageusement sur un coin de tapisserie.

La colère, ainsi, est devenue l'occasion d'une première signature. À nous maintenant de découvrir avec l'enfant ce qu'écrire veut dire. Il faut en profiter pour sortir de grandes feuilles de papier et des crayons de couleur. Ce n'est pas interdit de dire qu'on est fâché, bien au contraire. Mais c'est mieux de le faire au grand jour, sur un espace blanc offert à notre expression. Certes, ça fait un peu peur, cette grande page : il faut choisir de commencer ici plutôt que là. Et puis, les grands vont voir ce qu'on a fait et, forcément, ils trouveront que ce n'est pas bien. Alors il faut qu'un grand, justement, autorise : il prend lui-même un gros feutre noir et fait un vilain gribouillis : « Voilà ce que ça donne quand je suis fâché ! » Sophie s'esclaffe : « Moi, c'est pas si gros que ça ! » et elle fait un tout petit gribouillis, à sa taille. « Fais-moi la maison... Dessine maman... Et moi, avec une tresse. Et le chat. Et des fraises sur le toit. Et un escargot. » Sophie n'arrête pas. Son père s'exécute, maladroitement. « Mais non, les escargots, ce n'est pas comme ça ! Et puis il manque les yeux ! » À vrai dire, son père n'a jamais vraiment regardé un escargot dans les yeux. Sophie, non plus, d'ailleurs. Mais elle sait que, si l'escargot n'en avait pas, il ne pourrait pas savoir où il va. L'important n'est pas de représenter les choses comme elles sont, mais plutôt la manière dont on les voit. D'ailleurs Sophie n'est pas choquée par le fait que son père dessine des poissons dans le ciel ou que la chenille soit plus grande que le jardinier. Ce qu'elle veut, c'est que, sur la feuille, un univers se construise et qu'elle puisse dialoguer avec lui. Sur le papier, « c'est pas pour de vrai ».

Ainsi, si les parents savent en faire des occasions d'échanges, les premiers dessins sont un moyen, pour l'enfant, d'entrer dans l'intelligence du signe. D'ailleurs, maintenant, c'est Sophie qui prend un crayon. Elle applique sa main sur la feuille, au milieu des maisons. Elle écarte les doigts et en trace les contours. Un geste vieux comme les hommes qui se répète de génération en génération depuis que nos ancêtres l'ont effectué, à la lueur des torches, sur les parois des cavernes. C'est, pour Sophie, une manière de prendre possession de l'espace graphique en créant quelque chose qui vient d'elle, qui est elle et qui, pourtant, se détache d'elle.

Elle rend le crayon à son père : « Il faut que tu ajoutes un oiseau ! » Et la feuille continue à se remplir. Espace où s'inaugurent les premiers échanges écrits. Où Sophie découvre le plaisir de dire. Sans chercher à être réaliste : elle a accédé à la représentation symbolique. Elle sait qu'un dessin n'est pas une photo. Que c'est une manière de fixer ce qui est « dans sa tête » et non pas ce qui est dans le monde.

Il faudra qu'elle continue à dessiner librement, avec ses parents, ses amis, ses professeurs. Il faudra qu'elle continue à chercher à dire ce qui l'habite. D'ailleurs la voilà qui termine le dessin par un mystérieux « grabouillon ». « Qu'est-ce que c'est ? » demande son père. « C'est mon secret », répond Sophie. •

« Tout en réfléchissant à ce que je dois écrire, je sens ma main agir, tourner, lier, plonger, se lever et, bien souvent, par le jeu des corrections, raturer ou faire éclater une ligne, agrandir l'espace jusqu'à la marge, construisant ainsi, à partir de traits (les lettres), un espace qui est tout simplement celui de l'art : je suis un artiste, non en ce que je figure un objet, mais, plus fondamentalement, parce que, dans l'écriture, mon corps jouit de tracer, d'inciser rythmiquement une surface vierge : le vierge étant l'infiniment possible. »

Roland Barthes, préface de *Civilisation de l'écriture*

Chapitre 2

Ses premières Lignes

José s'applique autant qu'il peut. Il doit recopier des lignes de lettres que la maîtresse a écrites au tableau. La maîtresse a expliqué que le *a*, c'était un rond avec une petite queue. C'est plutôt amusant de faire des ronds avec une petite queue. C'est amusant de savoir que cela va faire des *a*. Et, surtout, que tout le monde va voir que c'est des *a*...

Car José commence à s'inquiéter que l'on ne comprenne pas toujours ce qu'il dessine. C'est bien d'avoir des secrets, mais c'est énervant de ne pas pouvoir se faire comprendre. Et puis, des lettres, il y en a partout autour de lui. Les adultes semblent les utiliser à tort et à travers. Et ils se disent des choses importantes avec. Des choses mystérieuses dont il est exclu. Il en a assez de devoir deviner ou demander. Il est temps, enfin, qu'il entre dans ce monde inconnu.

Tout enfant a envie de savoir lire et écrire. En même temps. Parce que tout enfant arrive dans un monde étrange dont il cherche à percer le mystère. Il ne sait pas vraiment d'où il vient ni qui il est. Il est né, un jour, disent les grandes personnes. Mais pourquoi et comment ? C'est mystérieux d'être là. L'énigme de sa propre naissance tenaille tout petit d'homme. C'est pourquoi il aime tant qu'on lui raconte des histoires. Des histoires extraordinaires ou banales, des histoires qui font écho à ses questions, lui montrent qu'il n'est pas tout seul à se les poser : Petit Ours Brun ne veut pas aller dans son bain... c'est donc qu'on peut résister à sa maman tout en continuant à l'aimer. Le Petit Poucet a été abandonné par ses parents... c'est donc qu'il n'est pas honteux de s'en inquiéter. L'enfant aime les histoires : « Il était une fois... » Qui ? Pourquoi ? C'est arrivé comment ? On entrevoit quelques lueurs. On peut nommer quelques peurs, mettre des images sur les pulsions étranges qui s'agitent dans sa tête.

Et tout ça est dans le livre. Un livre que les grands lui lisent parfois et que l'enfant aime qu'on lui relise. Deux fois, trois fois, dix fois, cent fois. Il faut ce compagnonnage avec le livre et les histoires pour avoir envie, à son tour, d'entrer dans l'univers de l'écrit, d'accéder à cet océan de signes qui, décidément, ne doit pas rester le privilège des adultes. Il faut voler aux adultes ce pouvoir immense qu'ils ont. Il faut savoir lire pour décrypter le monde et savoir écrire pour transmettre son monde.

Ce que l'enfant veut, c'est savoir lire et écrire. Et, si possible, y parvenir sans avoir à l'apprendre. Parce qu'apprendre est long, parfois pénible, gâche du temps et du matériel. Parce que le progrès technique, tout autour de lui, répète à l'envi qu'on peut savoir sans apprendre : conduire une voiture sans rien connaître à la mécanique, faire une photo nette en ignorant les lois de l'optique... Alors, l'enfant imagine que la lecture et l'écriture n'ont pas besoin de s'apprendre, qu'il suffit de désirer comprendre et s'exprimer... et que le reste n'a aucune importance !

Difficile mais nécessaire atterrissage : il faut du labeur pour entrer dans l'écrit. On n'y parvient pas sans exercice. Il faut apprendre à poser correctement sa main sur le papier – pas du même côté selon que l'on est droitier ou gaucher. Il faut apprendre à tenir le crayon comme il faut. Il faut apprendre à maîtriser le geste : que toute l'intention passe dans la main... pour que la calligraphie d'un jour devienne l'habitude de toujours. Et puis, l'écriture est affaire de vitesse : comme au vélo, on ne trouve le bon équilibre, on n'acquiert les bons réflexes que si l'on ne va ni trop vite – au risque de brouiller le message – ni trop lentement – au risque de le fractionner. Pour y arriver, il faut apprendre à « faire les lettres » toujours de la même façon, la plus efficace, celle qui « coule le mieux ». C'est la différence avec le dessin : quand on fait une fleur, on peut commencer par les pétales ou bien par la tige, cela n'a pas d'importance. Mais pour faire un *a* il n'y a qu'une manière... celle que la maîtresse a utilisée au tableau.

José n'y arrive pas bien. Il trouve que, finalement, ce n'est pas si rigolo que ça de faire des ronds avec une petite queue. Il a besoin que l'adulte le rassure : c'est normal que ce soit difficile. Mais il y a une promesse au bout du chemin : la promesse de trouver du plaisir à sentir le crayon glisser, à aligner des lettres bien comme il faut. Il y a le plaisir d'avoir surmonté l'obstacle. Et la jouissance de tenir entre ses doigts ces petits bouts de discours miniatures qui constituent le plus fabuleux jeu de construction jamais inventé pour les enfants. •

« Le verbe écrire est bien embarrassant car il désigne, en même temps, l'acte technique et l'expression d'une pensée. Trop souvent, l'activité de l'enfant est ramenée à la première définition : il est écrivant (il fait des exercices d'écriture) et pas écrivain. En réalité, l'enfant n'a guère l'occasion d'écrire pour communiquer. À l'école, il écrit pour montrer qu'il sait écrire, qu'il a bien écouté ou bien compris. À la maison, il écrit pour s'entraîner à réussir les exercices scolaires. Il n'a pas de vrai destinataire. »

Sylvain Grandserre, maître d'école

Chapitre 3

Sa première Lettre au Père Noël

Émilie croit au Père Noël. En fait, elle croit qu'elle y croit, comme la plupart des enfants. Ça suffit largement. Et cela la met à l'abri de tous les démentis que la publicité, les copains délurés et les adultes raisonneurs pourraient lui infliger.

Mais, le Père Noël, il faut lui écrire. Car il n'est pas là. Au Père Noël, on ne peut pas parler. Et, malgré quelques arnaques téléphoniques, il reste obstinément aux abonnés absents. Il faut le faire exister, se l'imaginer, se convaincre qu'il va lire avec attention le courrier qu'on lui envoie. Et, évidemment, il faut se demander, longtemps à l'avance, ce qu'on va lui commander. On peut hésiter, tâter le terrain avec ses copines, consulter les catalogues... Mais il faudra, à un moment ou à un autre, décider de ce qu'on écrit. Sans pouvoir revenir en arrière.

On n'écrit qu'à l'absent. Un absent qu'il faut rendre mentalement présent pour décider de ce qu'on va lui dire. Car le destinataire n'est pas un interlocuteur. Ce n'est pas quelqu'un qui est là, devant vous, et dont on attend les réponses ou épie les réactions. Le destinataire est à distance. On ne le voit pas et, même si on le connaît bien, il faut l'imaginer pour pouvoir lui écrire. Voilà qui donne à l'écrit un autre statut que celui de la parole.

Tout écrit est une lettre. L'apprentissage de l'écrit, c'est d'abord celui de la correspondance. Pour écrire, il faut se projeter au-delà du présent et bien au-delà de ce qu'on voit. Il faut entrer en relation à distance et confier au papier ce qu'on veut dire à l'autre, aux autres. C'est pourquoi, très tôt, on doit inviter l'enfant à écrire : quand il part en vacances, il peut écrire à ses amis ou ses grands-parents. À l'école, il peut engager une correspondance avec des élèves lointains que, peut-être, il ne rencontrera jamais. Dans tous les cas, il lui faudra faire l'effort de sortir de lui-même, de renoncer à n'habiter qu'ici et maintenant, d'imaginer quelqu'un qui n'est pas là, de se projeter dans l'ailleurs et le futur. Effort difficile pour un enfant qui voudrait bien avoir tout et tout de suite. Mais effort porteur d'une joie immense quand il recevra une réponse et qu'il saura ainsi que lui aussi existe pour les autres, même quand il n'est pas là. Car l'homme a peur d'être oublié, de perdre l'affection des autres quand il n'est plus dans leur champ de vision ; et la lettre, à cet égard, joue un rôle irremplaçable : elle témoigne de l'invisible.

Écrire, c'est agrandir le cercle, se relier à des êtres qu'on ne voit pas et avec qui, pourtant, on a besoin ou envie d'entrer en relation. Mais une relation d'un type particulier : car, pour écrire, il faut surseoir. Surseoir à la réaction immédiate, au débordement d'affection comme au cri et à l'injure. Surseoir à une expression approximative. Surseoir aussi au désir, toujours très fort, d'avoir une réponse tout de suite. Écrire, c'est donc engager une relation à distance : à distance dans l'espace et à distance dans le temps.

Janusz Korckak, le médecin pédagogue qui ouvrit à Varsovie, dans l'entre-deux-guerres, plusieurs orphelinats et mourut à Treblinka avec les enfants qu'il avait refusé d'abandonner, eut un jour un coup de génie. Devant l'impatience des orphelins toujours en quête d'un geste d'affection, face à des réactions de violence difficiles à maîtriser, il installa une boîte aux lettres : « Si tu veux quelque chose, écris-le. Si tu as quelque chose à reprocher à quelqu'un, écris-le-lui. Si tu ne sais pas encore écrire, dicte ta lettre ; tu demanderas qu'on te lise la réponse. Ne te précipite pas. Donne-toi du temps : il faut réfléchir pour être sûr de ne pas se tromper. Et donne du temps à l'autre : ne le prends pas à la gorge. » Voilà qui fait émerger de l'humanité dans l'homme et prépare l'enfant à être un citoyen. Quelqu'un qui croit que les difficultés et les conflits doivent toujours être mis à distance pour pouvoir – peut-être – être résolus par l'échange serein et l'argumentation posée plutôt que par la violence.

Émilie a fini sa lettre au Père Noël. Elle l'a refaite près de dix fois avant de l'envoyer. Elle en a pesé le moindre mot. Elle a pris le temps. Il va lui falloir maintenant patienter jusqu'à Noël. Et elle pourra ainsi, tous les soirs, dans son lit, goûter le bonheur de l'attente. •

« L'écriture permet aussi de communiquer avec soi-même. En consignant ses pensées ou ses annotations, on peut revoir et réorganiser son propre travail, rectifier l'ordre des mots, des phrases et des paragraphes. La manière dont on réorganise l'information en écrivant nous donne un aperçu inestimable sur le fonctionnement de la pensée. »

Jack Goody, *La logique de l'écriture*

Chapitre 4

Ses premiers brouillons

Jimmy griffonne quelques mots sur son cahier de brouillon. Le maître lui a demandé de préparer trois phrases pour décrire la photo affichée ce matin dans la classe. Le maître insiste toujours pour qu'on écrive au brouillon avant de recopier « au propre ». Pour Jimmy, cette histoire de brouillon, c'est plutôt un pensum inutile : parfois, il s'en acquitte à la va-vite et ne se met vraiment au travail que sur « le cahier du jour », quand les choses deviennent sérieuses parce que le maître va lire et noter. Parfois, au contraire, il s'applique sur le cahier de brouillon, mais, alors, recopie intégralement et sans correction particulière ce qu'il y a écrit. Dans tous les cas, voilà bien du temps perdu !

Écrire, c'est un vrai travail d'artisan. Ce n'est pas simplement traduire d'un trait de plume, avec des lettres, des mots et des phrases, quelque chose qui existait avant. L'écrit n'est ni la transposition graphique de l'oral, ni l'impression en direct de la pensée. C'est le résultat d'une activité, patiente et minutieuse. Il faut commencer avec ce dont on dispose, faire des essais, mettre les mots dans un sens puis dans un autre. Ajouter quelque chose, se reculer pour voir l'effet que ça fait, l'enlever parce que « ça ne marche pas » ou que, tout simplement, ce n'est pas très joli. Et puis, il y a des vides : on essaie un nom ou un verbe, on sent que ça n'est pas cela qu'on veut vraiment dire ; on en essaie un autre, et ça ne va pas non plus. Alors, on laisse un trou et on continue. Et puis, on trouve le mot qu'il fallait : on le rencontre dans une lecture, on l'entend dans une conversation, on le découvre dans un dictionnaire. Il trouve parfaitement sa place dans le puzzle. Mais patatras ! Voilà que la phrase ne colle plus avec ce qu'il y avait avant. Il faut tout reprendre !

Reste la question : qu'est-ce qui permet à l'enfant de travailler ainsi sur le langage ? Une chose toute simple et, pourtant, infiniment difficile pour lui : **se dédoubler.**

Il faut qu'il soit, en même temps, l'auteur et le lecteur de ses propres textes. Et que le lecteur, en lui, parle à l'auteur : « Là, c'est pas bien clair : tu devrais expliquer... Ça, c'est vraiment bizarre : on passe d'un truc à un autre sans comprendre pourquoi ; il faut relier tout ça... » En réalité, plus le lecteur en lui est incisif, plus il met l'auteur en difficulté et plus ce dernier pourra améliorer son texte.

Mais, pour que la critique du lecteur soit vraiment efficace, il faut que ce dernier se cale plus ou moins sur les exigences du destinataire : si le texte est fait pour le maître, il faut que le lecteur intérieur se dise : « Je suis le maître et je cherche tout ce qui ne va pas. » Si le texte est destiné à des copains, le lecteur intérieur se demandera : « Qu'est-ce qu'ils vont penser de ça ? Comment vont-ils le prendre ? » Mais, pour l'enfant, ce n'est vraiment pas facile de se mettre ainsi à la place de l'autre.

Il faut que les adultes, ici, jouent leur rôle. Qu'ils abandonnent le face à face pour se mettre au coude à coude : « Tu vois, si j'étais l'ami à qui tu envoies cette lettre, je me demanderais ce que tu as voulu dire... » Ou même : « Si j'étais ton pire ennemi et que ce texte tombe sous mes yeux par hasard, alors j'en profiterais vraiment pour t'enfoncer. Parce que, là, tu donnes des bâtons pour te faire battre ! » Et c'est ainsi qu'on rencontre inévitablement la question de l'orthographe : « Si tu écris les choses ainsi, que va-t-on comprendre ? » Car, pour communiquer correctement avec autrui, il faut non seulement lever toutes les ambiguïtés possibles, mais aussi respecter un code partagé et accepté par tous, au point que, quand il est mis en œuvre, il devient invisible pour permettre d'accéder au contenu. Une mauvaise orthographe entretient les malentendus et opacifie le message. On comprend bien cela quand on tente de déchiffrer ce que l'on a écrit avec le point de vue d'un correcteur sadique. Évidemment, un correcteur sadique, ça n'existe pas ! Mais c'est une fiction utile...

Le paradoxe, c'est que, pour que l'enfant accepte de nous entendre et, à terme – parce que le but est vraiment là –, intègre dans sa tête le point de vue de l'autre que nous incarnons, il faut qu'il ait confiance en nous. Qu'il comprenne que l'on veut l'aider à se dépasser en donnant le meilleur de lui-même pour faire quelque chose dont il soit vraiment fier.

Jimmy l'a compris. Aujourd'hui, il fait un brouillon : il s'applique dès le premier jet. Mais, ensuite, il joue à « si j'étais » : « Si j'étais le maître, si j'étais une personne qui ne me connaît pas... qu'est-ce que je pourrais dire sur ce texte ? Et comment je peux prendre en compte tout ça ? » Alors, Jimmy se met à raturer, à mettre des flèches et faire des bulles, à chercher dans le dictionnaire... Jimmy écrit pour de bon. •

« Se raconter, c'est en quelque sorte bâtir une histoire qui dirait qui nous sommes, ce que nous sommes, ce qui s'est passé, et pourquoi nous faisons ce que nous faisons. Ce n'est pas seulement tenter de dire ce qui a été ou ce qui est, c'est explorer des possibles. La manière dont on se construit au travers des récits ne cesse jamais et ne trouve pas de fin. [...] C'est grâce au récit que nous parvenons à créer et recréer notre personnalité. »

Jérôme Bruner, *Pourquoi nous racontons-nous des histoires ?*

Chapitre 5

Ses premiers récits

Grâce aux économies qu'elle a faites depuis trois mois, Karima a pu s'acheter un beau cahier, avec une couverture cartonnée et des feuilles en vélin. C'est que Karima a décidé de tenir son journal. L'idée lui est venue en discutant avec ses copines : à un moment, alors qu'elle racontait une dispute à la maison, elle a senti qu'elle ne pouvait pas tout dire, même à ses amies proches. Il y a des choses trop intimes qu'on voudrait bien confier à quelqu'un, mais que personne ne semble capable ou digne d'entendre. Et puis, on a toujours peur que cela s'ébruite. Pourtant, on a vraiment besoin de le raconter. Alors, pourquoi ne pas se mettre, comme bien d'autres, à écrire son histoire ?

Raconter permet à l'enfant de donner de l'unité à toutes ses expériences personnelles et de s'inscrire dans le temps. Parce que la vie, c'est compliqué et ça va très vite. Il se passe beaucoup de choses, tous les jours : des tas de faits qui, parfois, passent inaperçus pour les autres et qui, malgré tout, sont vraiment importants pour un enfant ou un adolescent. Pourtant, contrairement à ce qu'on dit parfois, la vie n'est pas un roman. Dans un roman, on suit toujours, plus ou moins, une histoire ; les aventures ont un début et une fin ; il y a des « tout à coup » et des « c'est alors »... Dans un roman, il y a du récit.

Et le récit organise les choses : « Après avoir longtemps cherché en vain, j'ai enfin découvert... » : pour pouvoir écrire cela, il faut, bien sûr, avoir vécu les événements successifs – la recherche et la découverte –, mais il faut aussi les relier dans une même phrase... en écartant mille autres choses qui se sont passées en même temps, en sachant utiliser à bon escient ces petits mots si importants que sont « après » et « enfin », et qui donnent du relief et un sens particuliers à toute une série d'activités souvent décousues en réalité. Ainsi, le récit transforme des faits en événements : il choisit de braquer le projecteur sur certains moments, certains actes, certains propos ; il les articule à la lumière de ce qui s'est passé après. Quand j'écris : « Ce fut une rencontre décisive pour moi », je porte un jugement sur ce qui serait peut-être passé inaperçu si cela n'avait pas eu des conséquences importantes... que j'ignorais, évidemment, quand c'est arrivé.

Ainsi, en se racontant, l'enfant ou l'adolescent construit sa propre vie. Il dit « je » et relie entre elles des choses qui vont devenir « son histoire ». Il se construit en comprenant ce qui lui est arrivé et ce qu'il a fait. Les différents morceaux de son expérience se mettent en place. Il a un passé et un présent, il apprend à anticiper son futur.

S'engager dans l'élaboration d'un récit – qu'il soit autobiographique ou imaginaire –, c'est chercher à comprendre les raisons de ce qui se passe en nous et autour de nous. Comme l'explique le psychologue Jérôme Bruner, dans le récit « il y a des raisons à nos actions », les choses ne sont plus totalement absurdes, et le hasard lui-même, dès lors qu'il est reconnu comme tel, devient un événement qui prend du sens. Le récit apprivoise le chaos. Il cherche une manière d'entrer dans la complexité de son monde intérieur comme du monde extérieur, mais sans s'y perdre. Il permet de parler des conflits dans lesquels nous sommes impliqués, mais en leur donnant la forme d'une histoire qui autorise un dénouement et ne condamne pas à la guerre à perpétuité. **Le récit permet de dire ce qui nous habite et de nous relier ainsi aux**

autres, à tous ceux que l'on rencontre dans les histoires racontées par les hommes.

Karima écrit dans son carnet secret tous les soirs. Ses parents n'ont jamais cherché à le lire, bien sûr. Pourtant ses parents, comme elle, aiment les histoires : ils lui en ont lu, régulièrement, quand elle était petite. Ils lui en racontent encore très souvent. Ils l'écoutent, aussi, raconter ses propres histoires, sans trop faire remarquer les inexactitudes ou les interprétations discutables. Ils savent que raconter, c'est décrire et inventer en même temps. Et c'est leur parole et leur écoute qui ont autorisé Karima à écrire son journal. •

« Un mot jeté au hasard dans l'esprit produit des ondes en surface et en profondeur, provoque une série infinie de réactions en chaîne, entraînant dans sa chute sons et images, analogies et souvenirs, significations et rêves, dans un mouvement qui concentre à la fois l'expérience et la mémoire, l'imagination et l'inconscient... »

Gianni Rodari, *Grammaire de l'imagination*

Chapitre 6

Ses premiers jeux avec les mots

Marin, comme bien des enfants de huit ou neuf ans, est un peu fâché avec l'écriture. Écrire est, pour lui, un exercice fastidieux, qu'on fait surtout parce que le maître le demande et que « c'est important pour la vie future ». Mais, à son âge, la vie future, ça ne veut pas dire grand-chose, et d'ailleurs Marin voit bien qu'il y a beaucoup d'adultes qui n'écrivent jamais ou presque ! Pour lui, les mots, ce ne sont vraiment pas des jouets, surtout quand il faut les écrire sur un cahier et que les adultes passent derrière pour corriger... Alors, quand le maître a proposé de jouer au « caillou dans l'eau » et a écrit *oxalis* au milieu d'une grande feuille, Marin s'est juré de rester en retrait. Chacun devait dire à quoi ce mot étrange lui faisait penser , et le maître l'inscrivait sur la feuille. Sans intérêt, a-t-il pensé d'abord... puis il s'est laissé prendre au piège et s'est mis à imaginer ce que ça pouvait être : une planète ? un prénom ? un médicament ?... Finalement, c'était une plante ! Et maintenant, chez lui, Marin a installé une boîte à mots où il range les mots rigolos qu'il découvre.

Jouer avec les mots est un vrai plaisir et un bon moyen de développer l'imagination. De même que les enfants ou les adultes « doués » en mathématiques sont ceux qui ont réussi à trouver du plaisir à jouer avec les nombres, les figures, les inconnues et les équations, de même les enfants ou les adultes « écrivains » sont ceux qui éprouvent de la jouissance à manipuler les mots, à les agencer comme dans un puzzle, à en découvrir de nouveaux et à imaginer avec eux des phrases, des récits, des poèmes, des textes de toutes sortes qu'ils dégustent avec gourmandise et aiment à partager avec d'autres.

Mais on ne joue pas toujours spontanément avec les mots. D'une part, parce qu'on garde en mémoire les difficultés, voire les échecs, de leur apprentissage. D'autre part, parce que les mots sont souvent considérés comme des choses trop sérieuses pour qu'on puisse jouer avec eux : ils ont un caractère sacré qui interdit de les « manipuler ». À nous, donc, adultes de mettre les mots en jeux. Livrons à nos enfants des mots mystérieux ou cocasses, des associations étranges aux sonorités insolites. Et donnons-nous le droit, avec eux, de faire des hypothèses farfelues, de chercher comment les relier alors qu'ils n'ont rien à voir, d'inventer, même, des mots nouveaux, pour nous créer ensemble un petit « fictionnaire ».

À la maison ou à l'école, on peut ainsi multiplier les jeux avec le langage pour enrichir ses ressources et développer ses capacités d'écriture. Ces jeux ont comme point commun d'introduire des contraintes, parfois apparemment absurdes, mais qui libèrent l'imagination. Ainsi, Georges Perec, membre d'un groupe d'écrivains facétieux et particulièrement inventifs, l'Oulipo, a-t-il écrit un très volumineux roman sans employer une seule fois la lettre *e*, pourtant la plus utilisée en français. *La disparition* – car tel était le titre, pourtant explicite, du livre – fut si réussie qu'on raconte que beaucoup de critiques saluèrent l'extraordinaire imagination de Georges Perec sans s'apercevoir de cette caractéristique extraordinaire de son livre ! L'auteur utilisait, ici, la technique du lipogramme : l'interdiction d'une lettre dans un texte... On dira que voilà une contrainte bien étrange et dont l'usage doit être réservé aux écrivains aguerris... Mais il n'en est rien ! C'est, en effet, un jeu d'écriture parmi bien d'autres qu'on fait parfois à l'école, mais qu'on peut aussi adapter à la maison un dimanche après-midi pluvieux : chacun doit décrire la même scène ou raconter la même anecdote, mais avec une lettre interdite tirée au sort. Évidemment, on va buter : si la lettre *a* est exclue, comment dire « maison » ? L'adulte peut alors inciter à chercher dans un dictionnaire des synonymes, et les enfants trouveront le mot « demeure ». Mais est-il si sûr que « demeure » soit vraiment l'équivalent de « maison » ? Et, si on l'emploie, est-ce que cela ne va pas changer le sens du texte, imposer d'autres changements de vocabulaire, etc. ? Voilà les enfants engagés dans un fantastique travail sur la langue écrite éminemment formateur ! Dans cette perspective, *J'aime lire* propose régulièrement des jeux de langage dans sa rubrique « La Fabrikamots ». Ceux et celles qui reçoivent le courrier constatent à quel point des enfants qui peuvent être, par ailleurs, inhibés face à l'écriture, se trouvent ainsi libérés par les contraintes. **Ce n'est pas étonnant : les contraintes, quand elles sont fécondes, permettent l'expression de la liberté.**

C'est mercredi après-midi, et Marin a imaginé avec ses copains un nouveau jeu : on tire deux mots dans la boîte, et il faut faire une histoire avec. Lucile tire « ordinateur » et « rhume »... Et les voilà partis dans une histoire invraisemblable ! Marin se prend vraiment au jeu et il suggère même qu'une fois l'histoire écrite, on la propose au journal de la classe. •

« Quand les enfants écrivent pour être lus, par d'autres enfants, mais aussi par leurs parents et par tous ceux qui accèdent au journal scolaire, ils ne rechignent pas à travailler longuement et patiemment. Ils savent qu'ils s'inscrivent dans une grande chaîne et que leurs textes participent à la construction du monde. Le journal devient ainsi le moteur d'une activité intellectuelle individuelle et collective. Toutes les autres tâches scolaires en sont vivifiées. »

Célestin Freinet, *L'imprimerie à l'école*

Chapitre 7

Son premier article publié

Caroline, Ali et Bastien sont au travail. La tâche : faire un article de trente lignes sur un film d'animation qu'ils ont regardé ensemble la semaine dernière. L'objectif : puisqu'ils ont beaucoup aimé ce film, donner envie aux copains de le voir. La recommandation : ne pas se précipiter, prendre le temps, chacun de son côté, de noter sur son carnet les idées qui viennent et, ensuite seulement, mettre tout ça en commun. La mise en garde : que chacun s'implique bien et qu'on fasse tourner les rôles... On prend la méthode que les enfants de Barbiana ont expérimentée dans leur *Lettre à une maîtresse d'école* : « On joue à qui trouvera le premier les mots qu'il faut enlever, les adjectifs en trop, les répétitions, les mensonges, les mots difficiles, les phrases trop longues, les phrases où il tient deux idées. On fait aussi appel à des étrangers, à tous ceux qu'on peut trouver. (...) On leur fait lire à haute voix. On voit s'ils ont compris ce qu'on a voulu dire. On accepte tous les conseils pourvu qu'ils aillent dans le sens de la clarté... »

Rendre un écrit public impose, en effet, de se soumettre à des exigences de clarté et de lisibilité. Car, si l'écriture est un acte qui renvoie à ce que chacun a de plus intime, publier, c'est accepter l'épreuve de la lecture des autres. C'est donc respecter des règles. Certes, les règles, dans l'écriture, peuvent parfois apparaître arbitraires aux enfants. Pourtant, dès qu'ils sont en position d'écrire pour un public, ils comprennent vite qu'elles sont utiles. Elles sont même essentielles pour qu'on puisse se comprendre.

Bien sûr, à l'oral aussi, on cherche à se faire comprendre! Mais on n'a pas à mettre le *s* au pluriel ou l'accent sur le *a* ! Si l'oral paraît moins exigeant, c'est souvent au prix de bien des approximations que l'on rectifiera au fur et à mesure si l'interlocuteur le demande. Parler, c'est tâtonner ensemble. L'écrit devient une nécessité dès lors qu'on prend conscience d'un certain aléatoire de l'oral et qu'on ressent le besoin de stabiliser les choses plus nettement.

Stabiliser : voilà qui impose un travail précis. La clarté n'est pas spontanée : elle n'arrive qu'au bout d'une longue maturation et de nombreuses corrections. La lisibilité n'est pas acquise : elle requiert des réglages de précision. L'orthographe, comme le montre Raymond Queneau dans *Bâtons, chiffres et lettres*, permet de comprendre ce que la phonétique seule laisse dans l'incertitude, elle lève les ambiguïtés et socialise la parole : « Mézalor, keskon nobtyn ! Onnekrom panplu. Lé janvon cénervéet bata yer. Onlrekoné pudutou, lfransé, amésa pudutou... »

En réalité, donner à lire un texte à d'autres, c'est s'engager, s'exposer, s'inscrire dans un espace social qui permet la formation du citoyen. On ne peut pas vraiment apprendre à écrire tant que ses écrits ne circulent pas, tant qu'ils ne sont pas soumis au regard et à la lecture de l'autre, tant que celui qui écrit n'a pas conscience qu'il s'inscrit dans un collectif où il ne peut dire ce qu'il veut que dans la mesure où il s'astreint à respecter les règles qui s'imposent à tous. L'écrit socialisé permet ainsi à l'enfant d'entrer dans un espace social où la liberté et la contrainte ne se concurrencent pas mais se confortent réciproquement. Et il permet de faire une expérience fondatrice qui contribue à sa formation de citoyen.

C'est pourquoi les adultes doivent accompagner

les enfants sur ce chemin en leur proposant, à l'occasion d'événements familiaux ou de vacances avec des amis, à la Maison des Jeunes ou au centre aéré et, bien sûr, à l'école, de fabriquer des écrits sociaux. **Parce qu'ils circulent de mains en mains, ces écrits sont porteurs d'exigence.** Ils permettent de découvrir la joie de faire partager ce que l'on a fait, ce que l'on croit ou pense. Ils constituent un prolongement de la formidable révolution de Gutenberg : l'écrit n'est plus l'apanage des clercs et des privilégiés, il devient un outil pour relier les hommes entre eux. À cet égard, le journal de la classe peut être mis en ligne sur un site Internet ou l'album de vacances devenir un diaporama commenté qu'on enverra par courrier électronique, cela ne change rien à la nature de la démarche. Une démarche extraordinairement formatrice dans laquelle les enfants et les adolescents se lanceront si, autour d'eux, les adultes leur montrent la voie, en témoignant eux-mêmes au quotidien qu'au-delà de l'inquiétude légitime de tout « écrivain » qui s'expose au regard d'autrui, il y a de belles fiertés en perspective.

Caroline, Ali et Bastien l'ont bien compris : le journal de la classe est, en même temps, l'œuvre de chacun et le résultat du travail de tous. Quelque chose à laquelle ils ont individuellement contribué et qui incarne la classe tout entière. Parce que, là comme ailleurs, le tout est plus que la somme des parties. •

« L'écriture
a ceci de mystérieux
qu'elle parle. »

Paul Claudel

Chapitre 8

Sa première lettre à ses proches

Michaël est parti s'enfermer dans sa chambre. Son père qui, au début, avait fait preuve de patience, a fini par s'énerver. À juste titre, car Michaël avait vraiment dépassé les bornes. Mais, maintenant, son père regrette ce qu'il a dit, et Michaël, ce qu'il a fait. Chacun se sent seul, voudrait revenir en arrière, effacer ce qui vient de se passer... En allant se coucher, le père de Michaël trouve sur son oreiller une page de carnet avec quelques mots griffonnés. Il a les larmes aux yeux. Il plie soigneusement la feuille et la range dans son portefeuille. Il la gardera longtemps.

Il y a des choses beaucoup plus faciles à écrire qu'à dire. Ce n'est pas toujours par lâcheté. Certes, il est moins difficile de laisser un mot sur la table de la cuisine, « Je ne sais pas à quelle heure je vais rentrer ce soir... Ne m'attendez pas ! », que de demander la permission de minuit, au risque d'essuyer un refus. Mais le passage par l'écrit peut être aussi une véritable épreuve, au bon et beau sens du terme. Un moment fort où je prends le temps de m'adresser à des êtres chers pour tenter de leur dire ce que je ne saurais pas bien formuler dans une conversation : que je les aime et que je m'inquiète pour eux, que j'ai été maladroit et que je leur demande pardon, qu'un départ n'est pas un abandon, qu'un désaccord n'est pas une trahison.

Ces choses-là sont difficiles à expliquer : il faut bien choisir ses mots pour ne pas être mal compris ni blesser inutilement. Tourner ses phrases de telle façon que ce qui est important ne soit pas obscurci. Organiser le texte pour que les choses n'apparaissent pas brutalement. Accompagner la lecture avec de petits signes qui en disent long : aller à la ligne pour montrer qu'on fait une pause et qu'on prend le temps de respirer avant de passer à une autre idée, mettre entre parenthèses parce que ce qu'on dit là aide à comprendre, mais que ce n'est pas l'essentiel... Souligner vaut toujours mieux que crier, même s'il ne faut pas trop souligner parce que, comme quand on élève la voix en permanence, cela n'a plus de sens du tout.

Certains parents disent parfois : « Je n'arrive plus à parler avec mon fils ou ma fille ! » Il faut toujours leur répondre : **« Et si vous tentiez de lui écrire ? »** Une vraie lettre à laquelle vous pensez plusieurs jours à l'avance... Vous vous installez un soir pour la rédiger, mais au brouillon bien sûr. Vous la reprenez le lendemain ou le surlendemain. Vous la relisez lentement ou même tout fort pour entendre vraiment ce que vous avez écrit. Vous la retravaillez encore... Et puis, quand vous vous sentez prêt, vous la posez sur son bureau. Évidemment, vous ne serez pas là quand il l'ouvrira, mais c'est tant mieux. Il pourra la lire et la relire pour bien comprendre. Il aura peut-être envie de venir vous trouver, la feuille à la main, pour dire que vous n'avez rien compris. Mais il ne le fera sûrement pas. Il attendra... Et, peut-être même, il vous répondra.

Écrire, en effet, c'est inviter à répondre, à prolonger l'échange, à inventer l'avenir. Quand on prend la peine d'écrire, même pour annoncer une mauvaise nouvelle, l'avenir n'est jamais totalement verrouillé. Celui qui écrit ouvre le champ du possible. Il offre un texte signé qui assume un point de vue. À son insu souvent, il avoue qu'il ne sait pas tout et qu'on peut interroger sa vision des choses. Quand on reçoit une lettre, c'est toujours une adresse, et, même si celui qui en est l'auteur croit qu'il met un point final à un dialogue, le simple fait d'écrire engage l'autre à l'interroger, à aller plus loin : « Tu donnes ton sentiment, ta version des faits, tes réactions... Je peux, à mon tour, réagir ! » Il nous arrive, dans une discussion, d'avoir le dernier mot. Mais, quand on écrit à quelqu'un, on lui offre la possibilité, infiniment précieuse, de dire encore un mot.

Michaël, aujourd'hui, a reçu une lettre de son professeur par la poste. C'est que son professeur ne fait jamais une remarque personnelle de manière publique dans la classe. Inutile d'humilier quelqu'un, même s'il est en faute. D'ailleurs, les autres ne sont pas vraiment concernés par ce que le professeur a à lui dire. Et, surtout, une lettre, c'est infiniment précieux : Michaël n'en reçoit pas beaucoup. Celle-là, il va la relire plusieurs fois. Comme il est très impressionné, il ne répondra pas tout de suite. Peut-être même ne répondra-t-il jamais. Mais il la gardera longtemps. Comme son père gardera longtemps la petite page de carnet trouvée sur son oreiller. •

« L'écriture électronique ne dénature pas en soi l'écrit. Tout dépend de l'usage que l'on en fait... Car écrire ne se réduit nullement à une activité graphique particulière ; c'est une attitude, une intention, un projet qui dépasse, de très loin, les moyens techniques que l'on va mettre en œuvre. On écrit toujours dans sa tête, que l'on écrive avec un stylo ou avec un clavier. »

Géraldine Sébard, *Écrire avec Internet*

Chapitre 9

Ses premiers clavardages

Anne habite au Québec, où, quand l'enfant commence à utiliser les claviers – du téléphone à l'ordinateur –, on dit qu'il fait du clavardage. Effectivement, pour Anne, c'est là un comportement bien différent de celui de l'écriture à la main. Le clavier fait oublier le plaisir de la page et du crayon qui glisse dessus. On y découvre un autre plaisir : celui de frapper sur des touches qui, même si on va très vite, restent séparées les unes des autres. Il y a, dans le clavier, une juxtaposition irréductible qui invite à penser par addition. L'efficacité n'est pas du même ordre : il faut combiner, encoder, trouver un moyen rapide de « faire signe »... Aussi ses parents s'inquiètent-ils un peu : à trop envoyer des textos et des courriels ne va-t-elle pas perdre le goût d' « écrire vraiment » ?

Voilà bien longtemps que les hommes utilisent des codes simplifiés pour envoyer des signaux. Et, quand on stigmatise aujourd'hui le « langage dégénéré » utilisé par les jeunes dans leurs messages électroniques, on oublie un peu vite qu'ils n'ont rien inventé. Leurs parents avaient recours, jadis, au télégramme qui, au fond, n'était pas très différent : « arrive demain 8 h STOP venir chercher gare STOP baisers ». Et, bien avant le télégramme, il avait existé des moyens de communication encore plus rudimentaires et éloignés des codes scripturaux. Les peuples qu'on dit primitifs disposaient, pense-t-on, d'un langage d'expression gestuelle de quatre à cinq cents signes qui leur permettaient d'échanger rapidement des informations. Les Amérindiens faisaient des signaux de fumée. Nous avons utilisé les blasons, les drapeaux et les pavillons avant d'inventer la signalisation ferroviaire et routière. Nous avons installé des sémaphores et échangé en morse... Or personne n'a jamais vraiment critiqué ces méthodes ni considéré qu'elles menaçaient gravement l'avenir de la langue écrite – qui, d'ailleurs, était beaucoup moins répandue qu'aujourd'hui !

C'est que le signal n'a pas du tout le même rôle ni le même mode de fonctionnement que l'écriture. L'efficacité d'un signal tient à sa simplicité et à sa rapidité.

D'ailleurs, les animaux, comme nous, utilisent des signaux que nous commençons à décrypter : ainsi diffusons-nous, sur les aéroports, des cris d'alerte enregistrés visant à éloigner les corbeaux… Pour autant, les corbeaux ne parlent pas et n'écrivent pas. Ils n'ont pas besoin, comme nous, d'entrer dans un langage ni, *a fortiori*, d'apprendre à écrire.

Le signal est un élément dont la valeur tient à sa simplicité. Le langage est une articulation complexe de signes qui, en aucun cas, ne peut se réduire à une juxtaposition de sons ou de lettres. L'écrit, lui, est une trace dont la valeur doit dépasser le moment de son émission. Le signal ne vaut qu'au moment où il est émis. L'écrit ne vaut que parce qu'il reste d'actualité au-delà de cette émission. On n'archive pas les textos… ou rarement ! Et, quand certains les archivent, en les recopiant dans des cahiers dédiés à cet effet, ce ne sont plus vraiment des textos. Leur statut change, ils deviennent, au sens anthropologique du terme, de l'écrit.

L'écriture informatique peut être la meilleure ou la pire des choses. Inutile donc de se lamenter sur la prolifération des clavardages. Car il y a, dans ce domaine, « écrit » et « écrit ». Un courriel peut être, effectivement, un signal rudimentaire sans autre intérêt que de prévenir d'un rendez-vous. Il est parfois une réaction spontanée, épidermique, qu'on rédige à la va-vite sans introduction ni formule de politesse, sans souci de correction syntaxique, avant de l'envoyer impulsivement, en appuyant sur la touche fatidique « Répondre à tous ». Mais un courriel peut être aussi une lettre très élaborée qu'on travaille vraiment en la relisant plusieurs fois « dans sa tête », dont on soigne la composition et l'orthographe, qu'on laisse quelques heures, ou quelques jours, dans la boîte « brouillons » avant de l'envoyer.

De même, les adultes n'ont pas à s'inquiéter de voir les jeunes participer à des blogs : ce n'est pas, en soi, dangereux ! Évidemment, il faut être attentif aux types de blogs visités et mettre en garde les enfants et les adolescents contre ceux qui diffusent des propos à caractère raciste ou pornographique. Mais il y a des blogs qui permettent d'échanger et d'apprendre, de discuter et d'argumenter... **L'important est que l'enfant sache faire le tri entre les différentes formes d'écrits, leurs statuts, leurs exigences propres en fonction des destinataires.** L'important, aussi, c'est que le clavardage ne devienne pas complètement hégémonique et addictif.

Anne, d'ailleurs, envoie des textos pour donner rendez-vous à ses copines au cinéma ; elle utilise son courrier électronique pour prévenir qu'elle a oublié de rendre un DVD... Mais elle correspond aussi longuement avec une amie française par courriel, écrit sur le blog de son club sportif de longues analyses des matches de la semaine... Ce qui ne l'empêche pas de tenir son carnet secret et de trouver un immense plaisir à écrire des poèmes à la main, sur de belles feuilles. •

« Pour commencer, il faut commencer, et on n'apprend pas à commencer.
Pour commencer, il faut simplement du courage. »

Vladimir Jankélévitch

Chapitre 10

C'est toujours la première fois...

L'écriture, comme toutes les activités humaines, comporte toujours une prise de risque. Pour apprendre à marcher, à parler, à utiliser un ordinateur, à faire l'amour, il faut bien, un jour, franchir le pas : tenter de le faire sans savoir le faire. Si nous attendions de savoir faire les choses pour les faire, nous ne les ferions jamais... car nous ne pourrions pas apprendre à les faire !

Apprendre est mystérieux : c'est faire quelque chose qu'on ne sait pas faire pour apprendre à le faire ! Et, qui plus est, il faut s'engager personnellement : nul ne peut apprendre à nager à la place de personne. **Aucun adulte ne peut apprendre à écrire à la place d'un enfant.**

Est-ce à dire, pour autant, que l'adulte est réduit à l'impuissance, qu'il doit se contenter de contempler béatement les aptitudes de l'enfant qui s'éveillent ? Bien évidemment non ! L'adulte a une triple responsabilité : d'abord, donner à celui qui vient le goût de grandir en témoignant qu'il est finalement bien triste et ennuyeux de rester dans l'infantile. Ensuite, créer les conditions, mettre en place les stimulations, organiser l'environnement pour que celui qui apprend puisse se lancer dans l'inconnu. Enfin, apporter les aides matérielles et techniques qui permettent concrètement d'affronter les difficultés et de mener à bout le projet qu'on a engagé.

Pour écrire, il faut, d'abord, avoir rencontré des adultes qui témoignent que l'écriture n'est pas une simple obligation scolaire, une course d'obstacles inventée pour faire trébucher les enfants les plus malhabiles ou les moins courageux. Il faut avoir rencontré des adultes pour lesquels l'écriture reste une épreuve, souvent difficile, mais est, aussi, une source de petits plaisirs et de grandes satisfactions : plaisir de libérer sa mémoire en prenant des notes, plaisir de griffonner quelques mots pour se souvenir d'un événement important ou d'une impression fugace, plaisir de personnaliser un remerciement, de rédiger la légende d'une photo, de faire une belle invitation à ses amis pour son anniversaire... Satisfaction de pouvoir développer une argumentation cohérente en prenant son temps. Satisfaction de se sentir capable d'imagination, de voir le stylo courir sur la feuille ou les doigts filer sur le clavier alors qu'on était persuadé qu'on n'avait vraiment rien à dire. Satisfaction de trouver l'expression juste, celle qui cadre parfaitement avec ce qu'on ressent, celle qu'on va être content de lire et de relire soi-même en se disant que « c'est vraiment ce que je voulais dire ! ». Qui n'a pas eu la possibilité de rencontrer des gens qui témoignent de cela autour de lui, ne peut entrer dans l'écrit... **Nos enfants n'écrivent pas suffisamment : et nous ?** Sommes-nous prêts à délaisser, de temps en temps, le téléphone pour retrouver les joies de la correspondance ? À rédiger de vraies lettres à nos élèves plutôt que de nous contenter des formules habituelles sur les carnets de liaison ? À nous mettre au coude à coude avec les enfants pour inventer des histoires, fabriquer des livres « comme les vrais », écrire des poèmes ou des articles ?

Pour écrire, il faut, ensuite, se trouver dans des situations où l'écriture s'impose sans être imposée. Dans « la vie », en dehors de l'école et des situations éducatives, on trouve souvent des façons plus rapides et plus économiques pour communiquer que d'écrire. Il n'est pas certain qu'elles soient aussi riches, mais elles nous apparaissent plus commodes. Une situation d'apprentissage – en famille ou à l'école – est une situation où le recours aux solutions de facilité est impossible et où l'enfant se trouve en position de se lancer dans une tâche qui lui paraît plus complexe, mais qui, justement, va l'aider à progresser et à se dépasser. Comment dire sa satisfaction ou son mécontentement aux journalistes et aux auteurs qui fabriquent le magazine qu'on lit tous les mois, si ce n'est en leur écrivant ? Comment exprimer son affection, ses inquiétudes et ses espérances à ceux et celles que les circonstances de la vie ont éloignés, si ce n'est par la correspondance ? Comment faire savoir à tous les élèves de son école son point de vue sur un film si ce n'est en rédigeant un article pour le journal ? Comment faire pour exprimer la tristesse ou la joie que l'on ressent de manière à en garder une trace durable, si ce n'est en s'essayant à la poésie ? Comment faire pour convaincre un auditoire grâce à un exposé, si ce n'est en préparant par écrit un argumentaire précis ? À nous de créer ces situations ou, au moins, de les éclairer quand elles se présentent. À nous de donner aussi confiance à nos enfants et à nos élèves pour qu'ils puissent se dire, un jour : « Ça, il faut que je l'écrive ! » Et peut-être même : « Et si, moi aussi, je pouvais être écrivain ? »

Pour écrire, il faut, enfin, disposer des conseils techniques qui permettent d'être efficace. On doit se lancer dans l'écriture sans savoir écrire, mais on ne peut écrire sans apprendre à écrire : impossible de formuler quoi que ce soit de lisible si l'on ne sait pas faire une phrase et utiliser correctement la ponctuation ; impossible de rédiger un texte précis si l'on ne possède pas le vocabulaire nécessaire ; impossible d'être compris si l'on ne respecte pas les règles orthographiques. Mettre l'enfant en situation de découvrir par lui-même l'impérieuse nécessité de l'écriture ne signifie nullement l'abandonner à lui-même dans le travail difficile d'acquisition des outils et des techniques nécessaires pour s'exprimer. Certes, une partie de ces données s'acquiert par imprégnation : c'est le cas quand, dans l'environnement familial, social ou scolaire, on utilise une langue orale riche et exigeante ; c'est le cas, aussi, quand l'enfant fréquente très tôt, avec l'aide de ses parents, livres, revues et magazines ; c'est le cas, *a fortiori*, quand on profite de toutes les occasions de la vie quotidienne pour faire avec lui une observation de l'écrit, sur les étiquettes des produits ou les panneaux de signalisation... Mais cette fréquentation ne peut se substituer à des apprentissages formalisés. Vient un moment où l'enfant lui-même vit l'explication technique comme une libération : elle lui évite des soucis et lui permet d'aller plus vite. Ces moments sont précieux, et nous devons y être très attentifs. Nous devons aussi, à la maison, soutenir ses efforts dans ces acquisitions inévitablement un peu ingrates. Être à ses côtés, lui en dire toute l'importance, lui montrer qu'elles lui ouvrent des horizons extraordinaires.

Mais, pour autant, écrire reste une aventure où rien n'est joué d'avance. Chaque écrit est une conquête, et c'est ce qui fait son intérêt. Ne croyons pas ceux qui disent écrire facilement : ce sont des imposteurs. Du premier « grabouillon » à la première lettre d'amour, de la première copie d'examen à la dernière version de son testament, écrire, c'est toujours faire un pari sur le possible. On ne commence jamais à écrire sereinement car, pour l'essentiel, ce que nous écrivons ne préexiste pas à l'écriture. C'est pour cela qu'il est (si) difficile d'écrire. C'est pour cela, aussi, qu'écrire est si important... •

« Écrire, c'est une façon pour ne pas
se perdre, pour voir le jour se lever
dans les ténèbres, c'est apprendre
lentement à se taire.
Écrire, ce n'est aussi qu'écrire,
c'est-à-dire œuvrer avec les mots,
ajuster son vocabulaire, tenir un outil
dont le manche est brûlant.[...]
C'est remettre tout en état, le discontinu,
l'étrange, l'inutile, le surprenant,
l'aigu et l'ambigu dans le même élan,
sur la même route. »

Jean Cayrol, *Le coin de table*

Point final ?

Il va me falloir mettre un point final. Voilà qui n'est pas facile. D'abord, parce qu'il reste toujours des tas de choses à écrire. Ensuite, parce qu'en décidant de mettre un terme à cet écrit, je scelle, une fois pour toutes, ses maladresses et ses insuffisances. Il va falloir assumer ! Enfin, parce que l'écrit, quand il est terminé, change de statut : il n'appartient plus à son auteur. Sa signification et sa portée relèvent des lecteurs. Ce sont eux qui lui trouveront et lui donneront un écho, s'approprieront quelques bribes de ce que nous leur avons livré, prolongeront la réflexion seuls ou avec d'autres, en tireront ou non des conséquences.

S'il est si difficile d'écrire, c'est parce qu'à un moment ou à un autre, un écrit est toujours orphelin... Il doit se passer de l'auteur. Et voilà qui, justement, effraie tout auteur, qu'il soit apprenti ou chevronné ! Produire quelque chose qui nous échappe est inquiétant : nous aimerions bien être derrière l'épaule du lecteur pour lui expliquer ce qui est important, ce qu'il a mal compris, ce qu'il doit relire avec attention. Nous aimerions bien pouvoir corriger, après coup, une formulation imprudente, une explication lacunaire. Mais trop tard ! Ce qui est écrit est écrit.

On a toujours un petit pincement quand on met dans une boîte aux lettres un courrier important : impossible de le rattraper. Il ne nous appartient plus. Nous avons joué notre rôle. À l'autre d'entrer en scène.

Malgré mon désir d'en rajouter, il est donc temps que je me taise. •

En matière d'écriture, le niveau baisse-t-il ?

Nous disposons, sur cette question, d'un point de repère grâce aux copies du Certificat d'études primaires retrouvées dans le département de la Somme pour les années 1923, 1924, 1925.
Si l'on compare les rédactions de l'époque avec des textes écrits sur les mêmes sujets, rédigés dans les mêmes conditions, par des enfants du même âge aujourd'hui, on observe que ces derniers réussissent mieux en ce qui concerne la facilité d'écriture : **les textes sont plus longs, les récits plus cohérents, les phrases plus variées, le vocabulaire plus riche, la ponctuation plus fréquente et précise.** Les résultats sont légèrement plus faibles en ce qui concerne la maîtrise des temps des verbes et de l'orthographe d'usage. **Ils sont très nettement inférieurs dans le domaine de l'orthographe grammaticale,** qui accuse une baisse régulière importante depuis plusieurs dizaines d'années.
De 1923 à nos jours et sur l'ensemble des points, les filles sont meilleures que les garçons. L'écart en leur faveur s'accroît aujourd'hui ; il est nettement plus sensible dans le cas des familles socialement défavorisées.
Ces résultats doivent, cependant, être utilisés avec précaution : si l'on peut faire passer les épreuves de 1923 à des élèves d'aujourd'hui, on ne peut faire passer le Brevet des collèges ou le Baccalauréat d'aujourd'hui à des élèves de 1923. **En réalité, les acquis sont très différents et assez peu comparables.**
La question de l'orthographe grammaticale doit pourtant être prise au sérieux : si l'affaissement des règles dans ce domaine va de pair avec l'affaissement de l'ensemble des systèmes de normes sociales, elle n'en reste pas moins préoccupante et compromet l'intelligibilité des textes. Cela devrait nous amener à renforcer, en même temps, la finalisation et la socialisation des écrits – qui permettent de comprendre la nécessité des règles – et l'apprentissage formalisé de ces dernières.

Ressources

Un livre-outil de référence, pour aider les enfants à entrer dans l'écrit grâce à une multitude de sollicitations ; mais aussi pour comprendre ce qui peut susciter leur désir d'écrire : Susie Morgensten, illustrations de Thérésa Brown, **L'agenda de l'apprenti écrivain**, La Martinière Jeunesse, Paris, 2005.

Des livres pour nos enfants

Becky Bloom et Pascal Biet, **Le Loup conteur**, Mijade, Namur, 2004 (à partir de 3 ans, pour approcher le plaisir d'entrer dans l'écrit et de raconter des histoires).

Jacques Duquennoy, **Camille apprend à écrire**, Albin Michel Jeunesse, Paris, 2004 (à partir de 3 ans, une manière d'aborder la magie de l'écriture).

Claire Derouineau, illustrations de Pierre Caillou, **Mots futés pour écrire sans se tromper**, Actes Sud Junior, Paris, 2003 (à partir de 5 ans, pour s'amuser avec l'orthographe). Ce livre s'inscrit dans la collection « Les grands bonheurs », où existent d'autres très beaux textes dans le même esprit : Mots polissons pour attraper les sons, Mots cachés à deviner, Mots-clés pour réussir ses dictées etc.

Karine Reysset, **Pattes de mouche**, *École des loisirs, Paris, 2004* (à partir de 5 ou 6 ans pour lire avec un enfant, ou, plus tard, pour lire tout seul, sur la question des gauchers et gauchères).

Nouchka Cauwet, illustrations de Patricia Reznikou, **Écrire le monde, la naissance des alphabets**, Belem éditions, Paris, 2005 (à partir de 7 ans, un très beau livre pour découvrir l'histoire de l'écriture et voyager dans le monde extraordinaire de l'écrit sous toutes ses formes).

Nancy Huston et Chloé Poizat, **Les braconniers d'histoire**, Éditions Thierry Magnier, Paris, 2004 (à partir de 8 ans, pour entrer dans l'univers de la création littéraire).

Fabrice Vigne, **Jean 1er le posthume, roman historique**, *Éditions Thierry Magnier, Paris, 2005* (à partir de 9 ou 10 ans, un roman sur des enfants qui écrivent un roman...).

Raymond Queneau, **Exercices de style**, *Gallimard Jeunesse, Paris, 2002* (un grand classique à découvrir ou à redécouvrir à tous les âges).

Des livres pour nous

Jérôme Bruner, **L'Éducation, entrée dans la culture**, *Retz, Paris, 1996.*

Les enfants de Barbiana, **Lettre à une maîtresse d'école**, *Mercure de France, Paris, 1968.*

Ivan Illich et Barry Sanders, **ABC, L'alphabétisation de l'esprit populaire**, *La Découverte, Paris, 1990.*

Georges Jean, **L'écriture, mémoire des hommes**, *Gallimard Découvertes, Paris, 1987.*

Janusz Korczak, **Comment aimer un enfant**, *Robert Laffont, Paris, 1988.*

Danièle Manesse et Danièle Corgis, **Orthographe : à qui la faute ?**, *Paris, ESF, 2007.*

Oulipo (Ouvroir de littérature potentielle), **Atlas de littérature potentielle**, *Folio-Gallimard, Paris, 1992.*

Raymond Queneau, **Bâtons, chiffres et lettres**, *Folio-Gallimard, Paris, 1994.*

Gianni Rodari, **Grammaire de l'imagination**, *Rue du Monde, Voisin-le-Bretonneux, 1997.*

Des sites Internet

Les Cahiers pédagogiques, n° 388-389, **Écrire pour apprendre**, *coordonné par Jacques Crinon : http://www.cahiers-pedagogiques.com/article.php3?id_article=814*

Ministère de l'Éducation nationale : documents d'accompagnement **Lire et écrire**, *http://www.cndp.fr/archivage/valid/54037/54037-7601-7559.pdf*

Ministère de l'Éducation nationale : travaux, données et conseils sur la lecture et l'écriture : **http://www.bienlire.education.fr**

Philippe Meirieu, professeur à l'université Lumière-Lyon 2, est responsable pédagogique de ★**CAP CANAL**, la chaîne de télévision pour l'éducation initiée par la Ville de Lyon et l'Éducation Nationale.

★**CAP CANAL** est diffusée :

- sur le câble dans les agglomérations lyonnaise, grenobloise et stéphanoise, de 9 h à 19 h la semaine et de 7 h à 12 h les samedis et dimanches.
- sur Internet : http://www.capcanal.com

★**CAP CANAL** aborde tous les domaines de l'éducation, de la maternelle à l'université et la formation continue, en proposant des émissions thématiques pour les jeunes et des magazines d'information pour la communauté éducative, les professeurs et les parents.

Dans ce cadre, Philippe Meirieu anime *Cap Infos*, le magazine bimensuel de l'école, du collège et du lycée. Sur le thème *« Entrer dans l'écrit »*, il a réalisé un film, *Écrire*, et reçu sur le plateau, pour en débattre, Jeanne Benameur, écrivain, auteur de *Les demeurées* et *Présent ?*, Bernard Friot, écrivain, spécialiste de littérature de jeunesse, et Michèle Reverbel, écrivain public.

Cette émission est disponible :

- en vente : capcanal@mairie-lyon.fr
ou CAP CANAL, Mairie de Lyon,
1, place de la Comédie, 69205 Lyon
- en ligne : http://www.capcanal.com

Les petits guides J'aime lire
Bayard Jeunesse

Mon enfant n'aime pas lire, comment faire ? (1)

Marie Lallouet, rédactrice en chef de J'aime lire
On ne peut pas obliger un enfant à aimer lire,
mais on peut l'y aider.

Pourquoi est-ce (si) difficile d'écrire ? (2)

Philippe Meirieu, professeur à l'université Lumière-Lyon 2
Du premier « grabouillon » à la première lettre d'amour, parcours
en dix étapes dans cet apprentissage nécessaire.

Comment fait-on pour apprendre à lire ? (3)

Laure Dumont, journaliste spécialisée dans les questions d'éducation
Pour aborder sereinement le CP de son enfant.

Imprimé sur les presses d'Oberthur Graphique,
Rennes (35), en mai 2007
N° d'impression : 7768